abcdefghijklmnopqrstuvwxyz

Put a ring around **s** in the alphabet.

s

Put a ring around **s** in the words.

pants

Stan

past

spins

Colour in the **nest**.

Write the letters **s** and **S**.

s s

S S

ABCDEFGHIJKLMNOPQRSTUVWXYZ

abcdefghijklmn

Put a ring around **a** in the alphabet.

Put a ring around **a** in the words.

act banana sat Amanda

Write the letters **a** and **A**.

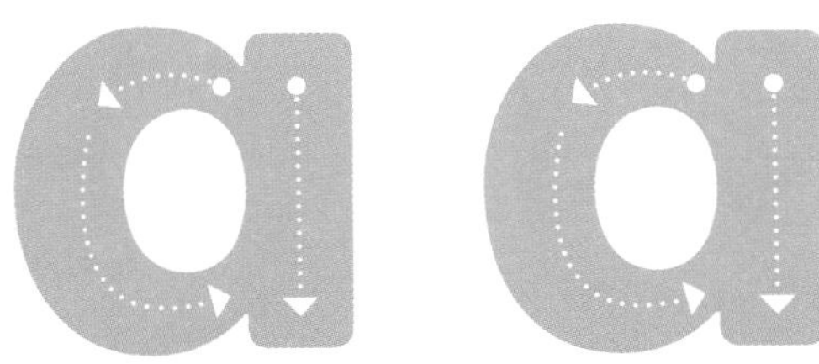

opqrstuvwxyz

Put a ring around **t** in the alphabet.

t

Put a ring around **t** in the words.

at

tin

tent

Scott

Colour in the **train**.

Write the letters **t** and **T**.

t t

T T

abcdefghijklmn

Put a ring around **p** in the alphabet.

Put a ring around **p** in the words.

stop Penny pat puppet

Write the letters **p** and **P**.

opqrstuvwxyz

Match the words.

tap ★	☆ sat
pat ★	☆ tap
sat ★	☆ pat

Look at this picture:

Put a ring around the right word.

pat tap sap

abcdefghijklmn

i

Put a ring around **i** in the alphabet.

Put a ring around **i** in the words.

in

it

pin

tin

Colour in the **fish**.

Write the letters **i** and **I**.

opqrstuvwxyz

Put a ring around **n** in the alphabet.

Put a ring around **n** in the words.

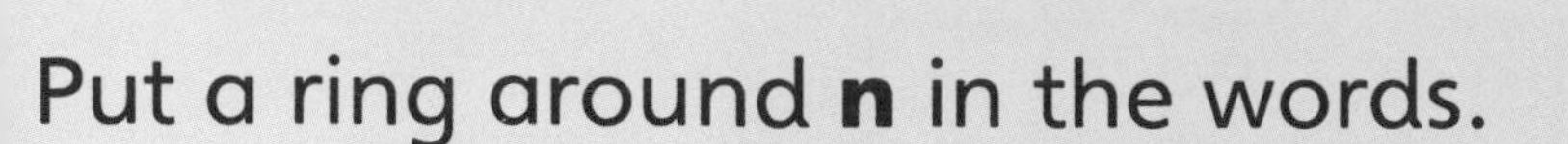

ant pan nap Anna

Write the letters **n** and **N**.

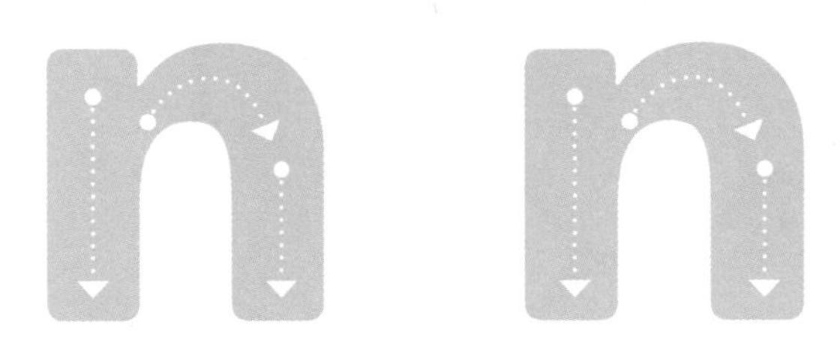

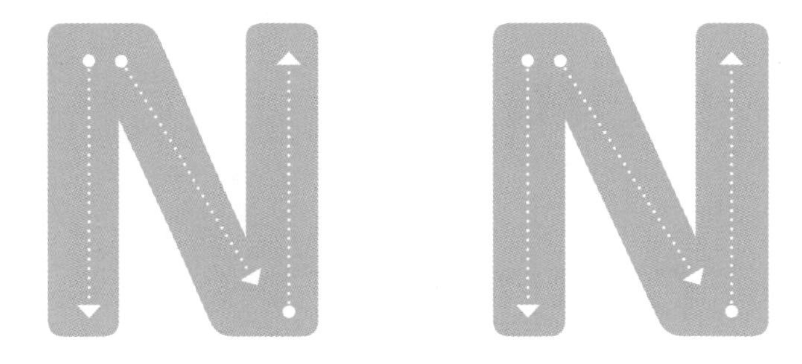

Look at this picture and fill in the missing letter:

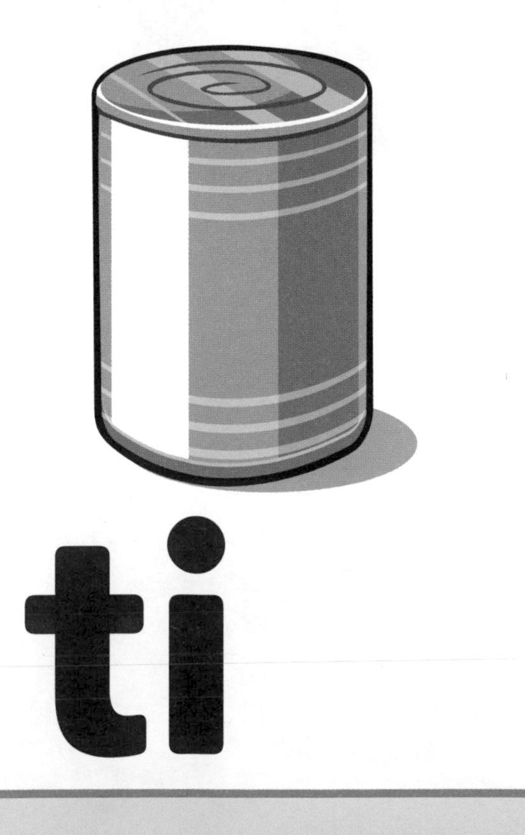

ti

abcdefghijklmn

Put a ring around **m** in the alphabet.

Colour in the u**m**brella.

Put a ring around **m** in the words.

mint

stamp

pram

tramp

Write the letters **m** and **M**.

m m

M M

opqrstuvwxyz

Put a ring around **d** in the alphabet.

Put a ring around **d** in the words.

stand damp add Adam

Write the letters **d** and **D**.

d d D D

abcdefghijklmn

Match the words.

pins ★	☆ mat
Dad ★	☆ Dad
mat ★	☆ pins

Match the pictures and words.

opqrstuvwxyz

g

Put a ring around **g** in the alphabet.

Put a ring around **g** in the words.

get

dig

egg

grand

Colour in the **g irl**.

Write the letters **g** and **G**.

abcdefghijklmn

Put a ring around **o** in the alphabet.

Put a ring around **o** in the words.

pond   odd   lock   lollipop

Look at the picture and put a ring around the right word.

dig

pan

dog

Write the letters **o** and **O**.

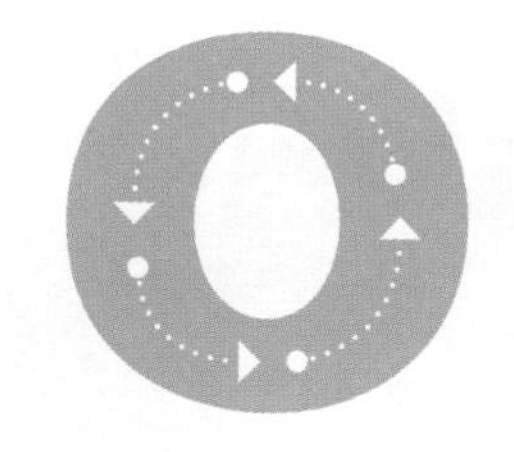
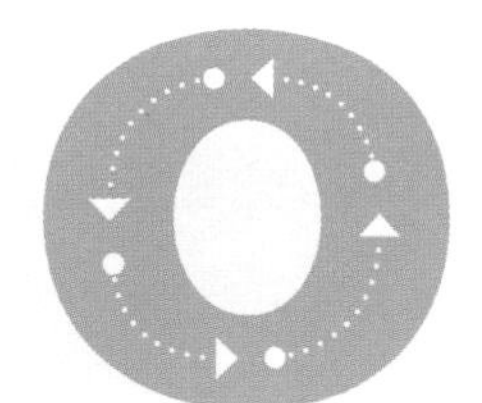
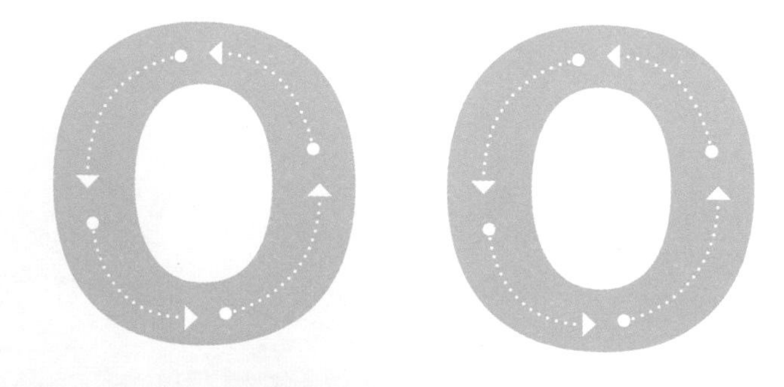

opqrstuvwxyz

Put a ring around **c** in the alphabet.

c

Put a ring around **c** in the words.

cap

act

cat

attic

Colour in the **camel**.

Write the letters **c** and **C**.

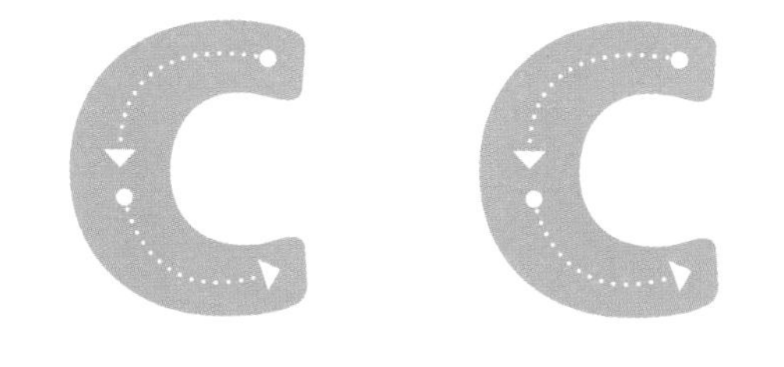

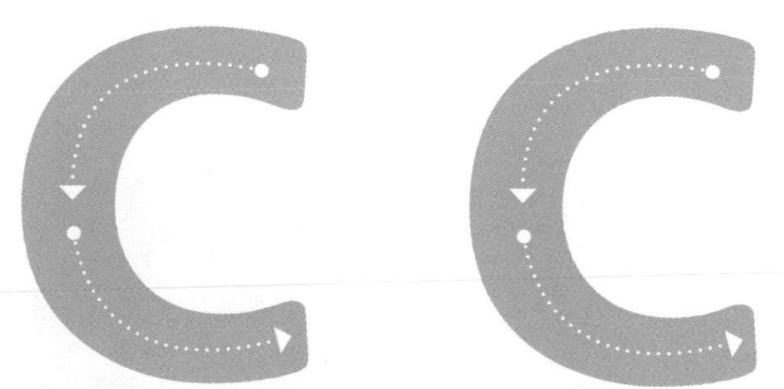

abcdefghijklmn

Put a ring around **k** in the alphabet.

Put a ring around **k** in the words.

desk kiss kept Ken

Write the letters **k** and **K**.

k k K K

milk

fork

kitten

opqrstuvwxyz

Match the pictures and words.

cap ☆ pins ☆ cat ☆

Read and draw.

a panda

abcdefghijklmnopqrstuvwxyz

Colour me in!

ABCDEFGHIJKLMNOPQRSTUVWXYZ